Au moment de l'**heure des histoires**, tandis que l'un regarde les images et l'autre lit le texte, une relation s'enrichit, une personnalité se construit, naturellement, durablement.

Pourquoi ? Parce que la lecture partagée est une expérience irremplaçable, un vrai point de rencontre. Parce qu'elle développe chez nos enfants la capacité à être attentif, à écouter, à regarder, à s'exprimer. Elle élargit leur horizon et accroît leur chance de devenir de bons lecteurs.

Quand ? Tous les jours, le soir, avant de s'endormir, mais aussi à l'heure de la sieste, pendant les voyages, trajets, attentes... La lecture partagée permet de retrouver calme et bonne humeur.

Où ? Là où l'on se sent bien, confortablement installé, écrans éteints... Dans un espace affectif de confiance et en s'assurant, bien sûr, que l'enfant voit parfaitement les illustrations.

Comment ? Avec enthousiasme, sans réticence à lire « encore une fois » un livre favori, en suscitant l'attention de l'enfant par le respect du rythme, des temps forts, de l'intonation.

Pour Nico
F. M.

ISBN : 978-2-07-063231-2
Publié par Farrar, Straus & Giroux, New York

Numéro d'édition : 332299
Loi n° 49-956 du 16 juillet 1949
sur les publications destinées à la jeunesse
Premier dépôt légal : avril 2010
Dépôt légal : janvier 2018
Imprimé en France par I.M.E.

Charles Perrault - Fred Marcellino

Le Chat Botté

GALLIMARD JEUNESSE

Un meunier ne laissa pour tous biens à trois enfants qu'il avait que son moulin, son âne et son chat. Les partages furent bientôt faits; ni le notaire ni le procureur n'y furent point appelés. Ils auraient eu bientôt mangé tout le patrimoine. L'aîné eut le moulin, le second eut l'âne, et le plus jeune n'eut que le chat.

Ce dernier ne pouvait se consoler d'avoir un si pauvre lot :
– Mes frères, disait-il, pourront gagner leur vie honnêtement en se mettant ensemble ; pour moi, lorsque j'aurai mangé mon chat, et que je me serai fait un manchon de sa peau, il faudra que je meure de faim.

Le Chat qui entendait ce discours, mais qui n'en fit pas semblant, lui dit d'un air posé et sérieux :
– Ne vous affligez point, mon maître, vous n'avez qu'à me donner un sac, et me faire faire une paire de bottes pour aller dans les broussailles, et vous verrez que vous n'êtes pas si mal partagé que vous croyez.

Quoique le maître du Chat ne fit pas grand fond là-dessus, il lui avait vu faire tant de tours de souplesse, pour prendre des rats et des souris, comme quand il se pendait par les pieds, ou qu'il se cachait dans la farine pour faire le mort, qu'il ne désespéra pas d'en être secouru dans sa misère.

Lorsque le Chat eut ce qu'il avait demandé, il se botta bravement et, mettant son sac à son cou, il en prit les cordons avec ses deux pattes de devant, et s'en alla dans une garenne où il y avait grand nombre de lapins. Il mit du son et des lasserons dans son sac et, s'étendant comme s'il eut été mort, il attendit que quelque jeune lapin, peu instruit encore des ruses de ce monde, vînt se fourrer dans son sac pour manger ce qu'il y avait mis. À peine fut-il couché, qu'il eut contentement; un jeune étourdi de lapin entra dans son sac, et le maître Chat tirant aussitôt les cordons le prit et le tua sans miséricorde.

Tout glorieux de sa proie, il s'en alla chez le Roi et demanda à lui parler.

On le fit monter à l'appartement de Sa Majesté, où, étant entré, il fit une grande révérence au Roi, et lui dit :

– Voilà, Sire, un lapin de garenne que Monsieur le Marquis de Carabas (c'était le nom qu'il lui prit en gré de donner à son maître) m'a chargé de vous présenter de sa part.

– Dis à ton maître, répondit le Roi, que je le remercie, et qu'il me fait plaisir.

Une autre fois, il alla se cacher dans un blé, tenant toujours son sac ouvert ; et, lorsque deux perdrix y furent entrées, il tira les cordons, et les prit toutes deux. Il alla ensuite les présenter au Roi, comme il avait fait le lapin de garenne. Le Roi reçut encore avec plaisir les deux perdrix, et lui fit donner pour boire. Le Chat continua ainsi pendant deux ou trois mois à porter de temps en temps au Roi du gibier de la chasse de son maître.

Un jour qu'il sut que le Roi devait aller à la promenade sur le bord de la rivière avec sa fille, la plus belle Princesse du monde, il dit à son maître :

– Si vous voulez suivre mon conseil, votre fortune est faite : vous n'avez qu'à vous baigner dans la rivière à l'endroit que je vous montrerai, et ensuite me laisser faire.

Le Marquis de Carabas fit ce que son Chat lui conseillait, sans savoir à quoi cela serait bon. Dans le temps qu'il se baignait, le Roi vint à passer, et le Chat se mit à crier de toute sa force :

– Au secours, au secours, voilà Monsieur le Marquis de Carabas qui se noie !

À ce cri le Roi mit la tête à la portière et, reconnaissant le Chat qui lui avait apporté tant de fois du gibier, il ordonna à ses gardes qu'on allât vite au secours de Monsieur le Marquis de Carabas. Pendant qu'on retirait le pauvre Marquis de la

rivière, le Chat s'approcha du carrosse, et dit au Roi que, dans le temps que son maître se baignait, il était venu des voleurs qui avaient emporté ses habits, quoiqu'il eût crié au voleur de toute sa force; le drôle les avait cachés sous une grosse pierre. Le Roi ordonna aussitôt aux officiers de sa garde-robe d'aller quérir un de ses plus beaux habits pour Monsieur le Marquis de Carabas.

Le Roi lui fit mille caresses et, comme les plus beaux habits qu'on venait de lui donner relevaient sa bonne mine (car il était beau, et bien fait de sa personne), la fille du Roi le trouva fort à son gré, et le Marquis de Carabas ne lui eut pas jeté

deux regards fort respectueux, et un peu tendres, qu'elle en devint amoureuse à la folie.

Le Roi voulut qu'il montât dans son carrosse, et qu'il fût de la promenade.

Le Chat, ravi de voir que son dessein commençait à réussir, prit les devants et, ayant rencontré des paysans qui fauchaient un pré, il leur dit :

– Bonnes gens qui fauchez, si vous ne dites au Roi que le pré que vous fauchez appartient à Monsieur le Marquis de Carabas, vous serez tous hachés menu comme chair à pâté.

Le Roi ne manqua pas de demander aux faucheux à qui était ce pré qu'ils fauchaient.
– C'est à Monsieur le Marquis de Carabas, dirent-ils tous ensemble, car la menace du Chat leur avait fait peur.
– Vous avez là un bel héritage, dit le Roi au Marquis de Carabas.

– Vous voyez, Sire, répondit le Marquis, c'est un pré qui ne manque point de rapporter abondamment toutes les années.

Le maître chat, qui allait toujours devant, rencontra des moissonneurs, et leur dit :

– Bonnes gens qui moissonnez, si vous ne dites que tous ces blés appartiennent à Monsieur le Marquis de Carabas, vous serez tous hachés menu comme chair à pâté.

Le Roi, qui passa un moment après, voulut savoir à qui appartenaient tous les blés qu'il voyait.

– C'est à Monsieur le Marquis de Carabas, répondirent les moissonneurs, et le Roi s'en réjouit encore avec le Marquis.

Le Chat, qui allait devant le carrosse, disait toujours la même chose à tous ceux qu'il rencontrait ; et le Roi était étonné des grands biens de Monsieur le Marquis de Carabas.

Le maître Chat arriva enfin dans un beau château dont le maître était un Ogre, le plus riche qu'on ait jamais vu, car toutes les terres par où le Roi avait passé étaient de la dépendance de ce château. Le Chat, qui eut soin de s'informer qui était cet Ogre, et ce qu'il savait faire, demanda à lui parler, disant qu'il n'avait pas voulu passer si près de son château, sans avoir l'honneur de lui faire la révérence. L'Ogre le reçut aussi civilement que le peut un Ogre, et le fit reposer.

– On m'a assuré, dit le Chat, que vous aviez le don de vous changer en toutes sortes d'animaux, que vous pouviez par exemple vous transformer en lion, en éléphant?

– Cela est vrai, répondit l'Ogre brusquement, et pour vous le montrer, vous m'allez voir devenir un lion.

Le Chat fut si effrayé de voir un lion devant lui, qu'il gagna aussitôt les gouttières, non sans peine et sans péril, à cause de ses bottes qui ne valaient rien pour marcher sur les tuiles. Quelque temps après, le

Chat, ayant vu que l'Ogre avait quitté sa première forme, descendit, et avoua qu'il avait eu bien peur.
– On m'a assuré encore, dit le Chat, mais je ne

saurais le croire, que vous aviez aussi le pouvoir de prendre la forme des plus petits animaux, par exemple, de vous changer en un rat, en une souris; je vous avoue que je tiens cela tout à fait impossible.
– Impossible? reprit l'Ogre, vous allez voir, et en même temps il se changea en une souris, qui se mit à courir sur le plancher.

Le Chat ne l'eut pas plus tôt aperçue qu'il se jeta dessus, et la mangea.

Cependant le Roi, qui vit en passant le beau château de l'Ogre, voulut entrer dedans. Le Chat, qui entendit le bruit du carrosse qui passait sur le pont-levis, courut au-devant, et dit au Roi :
– Votre Majesté soit la bienvenue dans le château de Monsieur le Marquis de Carabas.
– Comment, Monsieur le Marquis, s'écria le Roi, ce château est encore à vous ! Il ne se peut rien de plus beau que cette cour et que tous ces bâtiments qui l'environnent ; voyons les dedans, s'il vous plaît.

Le Marquis donna la main à la jeune Princesse et, suivant le Roi qui montait le premier, ils entrèrent dans une grande salle où ils trouvèrent une

magnifique collation que l'Ogre avait fait préparer pour ses amis qui le devaient venir voir ce même jour-là, mais qui n'avaient pas osé entrer, sachant que le Roi y était. Le Roi, charmé des bonnes qualités de Monsieur le Marquis de Carabas, de même que sa fille qui en était folle, et voyant les grands biens qu'il possédait, lui dit, après avoir bu cinq ou six coups :
– Il ne tiendra qu'à vous, Monsieur le Marquis, que vous ne soyez mon gendre.

Le Marquis, faisant de grandes révérences, accepta l'honneur que lui faisait le Roi ; et dès le même jour épousa la Princesse.

Le Chat devint grand Seigneur, et ne courut plus après les souris, que pour se divertir.

L'auteur

Charles Perrault (1628-1703), né et mort à Paris, fut contrôleur général de la surintendance des Bâtiments sous Louis XIV. Il entra en 1671 à l'Académie française, où il se fit remarquer dans la querelle des Anciens et des Modernes en prenant parti pour les Modernes (*Le Siècle de Louis le Grand*, *Parallèle des Anciens et des Modernes*).
Il doit sa célébrité aux *Contes de ma mère l'Oye* (1697) qu'il collecta pour l'amusement des enfants et publia sous le nom de son fils Perrault d'Armancour.

L'illustrateur

La formation d'illustrateur et de graphiste de ce grand artiste américain prématurément décédé (1939-2001) se déroule à New York et à Venise. **Fred Marcellino** se fait d'abord connaître par ses affiches, ses couvertures de magazines et ses pochettes de disques. De là, il passe tout naturellement aux couvertures de livres. Il fait ses premiers pas dans l'illustration d'ouvrages pour la jeunesse avec *Le Rat Montagu* de Tor Seidler (Folio Junior), donnant vie avec humour et finesse à un héros qu'il parvient à rendre éminemment attachant. *Le Chat botté* de Charles Perrault est son premier album illustré tout en couleurs ; il constitua un véritable événement dans le monde du livre de jeunesse. Toute son œuvre lui a valu de nombreuses récompenses et distinctions.